# 天涼好個秋

讀詞曲，學漢字

小天下

繪者簡介

## 王書曼

台中技術學院商業設計系畢。
作品曾入選2006義大利波隆那國際兒童書插畫展。
喜歡太陽天、喜歡大自然、喜歡看電影、
喜歡聽音樂，更喜歡作夢。
畫畫是興趣，畫出一個個令人感動的夢想，
爲「夢想」努力中……。

# 天涼好個秋

讀詞曲，學漢字

繪圖／王書曼

竹
象形字：
兩枝細竹，葉片低垂。

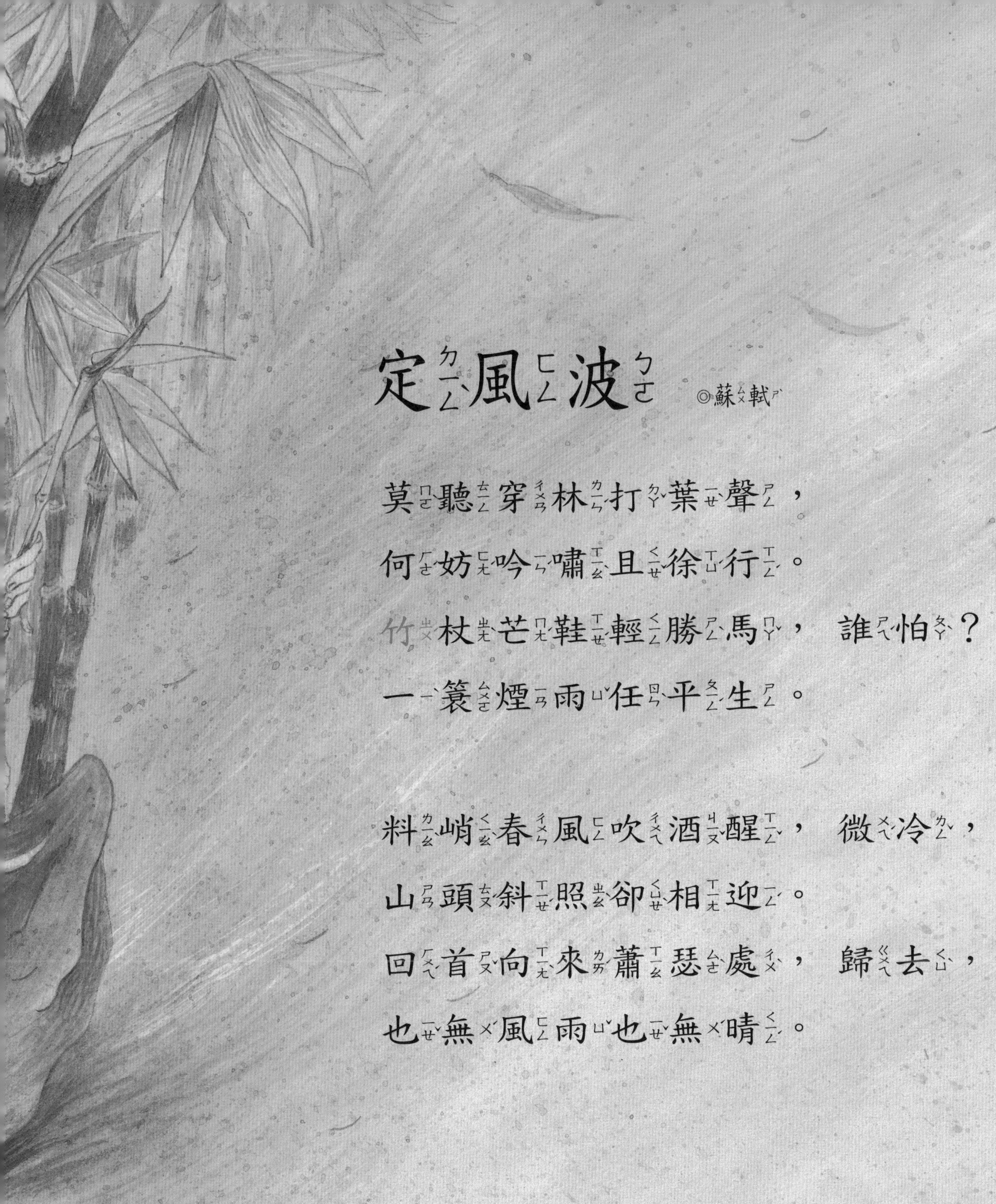

# 定風波

◎蘇軾

莫聽穿林打葉聲，
何妨吟嘯且徐行。
竹杖芒鞋輕勝馬，　誰怕？
一簑煙雨任平生。

料峭春風吹酒醒，　微冷，
山頭斜照卻相迎。
回首向來蕭瑟處，　歸去，
也無風雨也無晴。

# 浣溪沙

◎晏殊

一曲新詞酒一杯，
去年天氣舊亭臺，
夕陽西下幾時回？

無可奈何花落去，
似曾相識燕歸來，
小園香徑獨徘徊。

燕

象形字：
燕子在空中飛翔。

# 生查子

◎歐陽脩

去年元夜時，
花市燈如晝；
月上柳梢頭，
人約黃昏後。

今年元夜時，
月與燈依舊；
不見去年人，
淚滿春衫袖。

**柳**

形聲字：
木，木本植物；卯，聲符。

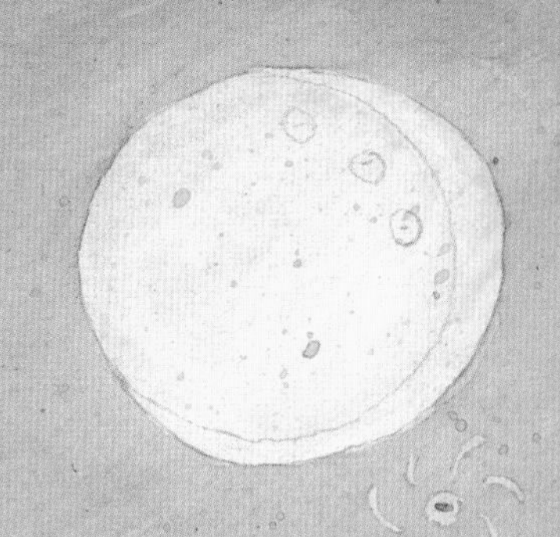

# 西江月

◎辛棄疾

明月別枝驚鵲，
清風半夜鳴蟬。
稻花香裡說豐年，
聽取蛙聲一片。

七八個星天外，
兩三點雨山前。
舊時茅店社林邊，
路轉溪橋忽見。

星

象形字：
星辰羅列；生，聲符。

# 卜算子

◎李之儀

我住長江頭，
君住長江尾，
日日思君不見君，
共飲長江水。

此水幾時休？
此恨何時已？
只願君心似我心，
定不負相思意。

心

象形字：

人心的形狀。

飛

象形字：

鳥張開翅膀飛翔。

# 漁歌子

◎張志和

西塞山前白鷺飛，
桃花流水鱖魚肥。
青箬笠，綠蓑衣，
斜風細雨不須歸。

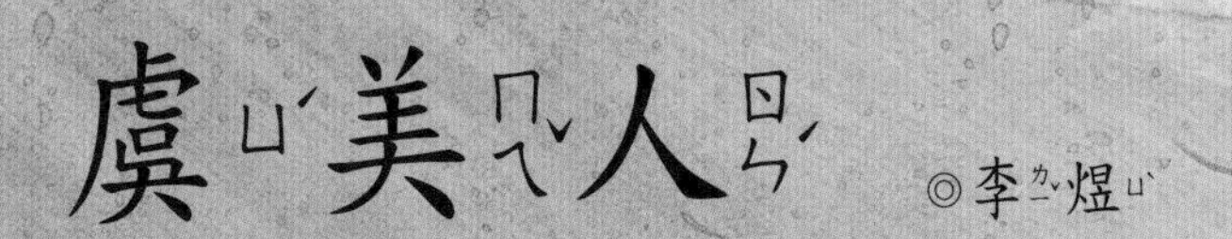


春花秋月何時了，
往事知多少？
小樓昨夜又東風，
故國不堪回首月明中。

雕闌玉砌應猶在，
只是朱顏改。
問君能有幾多愁？
恰似一江春水向東流。

玉

象形字：

絲繩串起三塊玉。

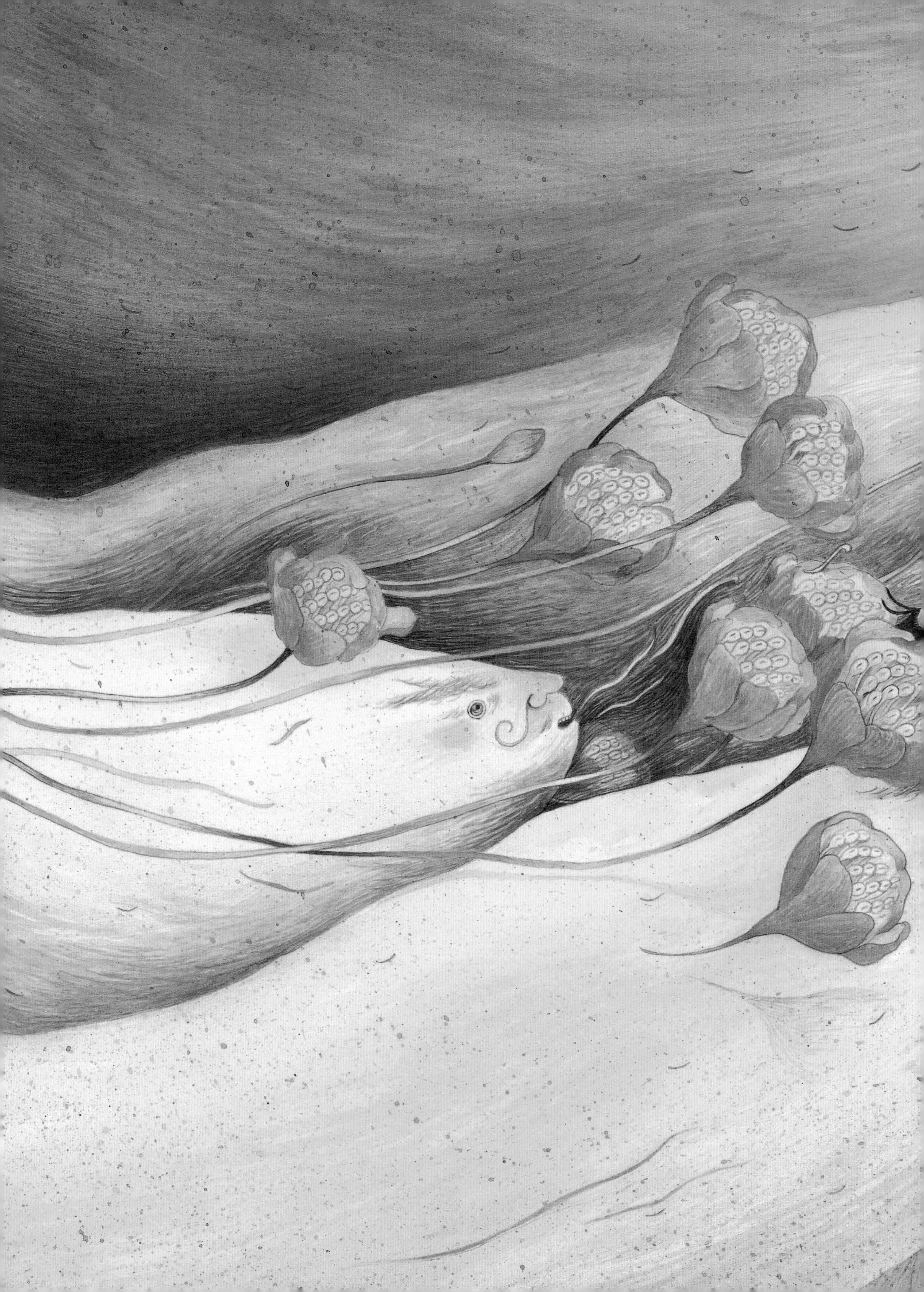

# 花非花

◎白居易

花非花，霧非霧，
夜半來，天明去，
來如春夢無多時，
去似朝雲無覓處。

花
象形字：
古字本爲「華」。

休

會意字；

人靠在樹下休息。

少年不識愁滋味，
愛上層樓。
愛上層樓，
為賦新詞強說愁。

而今識盡愁滋味，
欲說還休。
欲說還休，
卻道天涼好個秋。

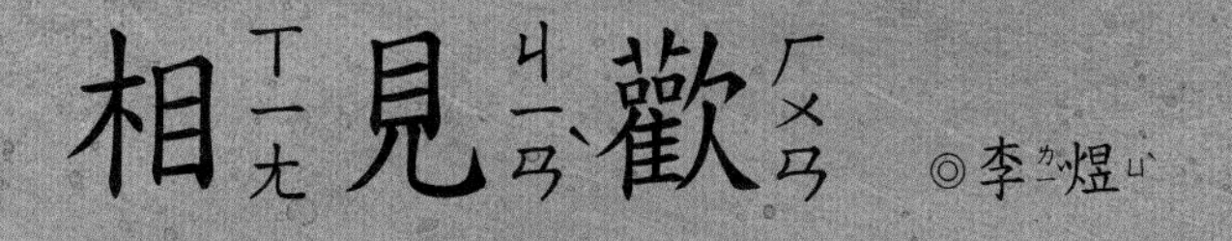

# 相見歡

◎李煜

無言獨上西樓，月如鉤；
寂寞梧桐深院鎖清秋。

剪不斷，理還亂，是離愁；
別是一番滋味在心頭。

秋

會意字；
禾，穀物：火，代表成熟。

車

象形字：
車輪與車軸的外形。

# 望江南

◎李煜

多少恨，

昨夜夢魂中。

還似舊時遊上苑，

車如流水馬如龍，

花月正春風。

# 浪淘沙

◎李煜

簾外雨潺潺，春意闌珊。
羅衾不耐五更寒。
夢裡不知身是客，
一晌貪歡。

獨自莫憑闌，無限江山。
別時容易見時難。
流水落花春去也，
天上人間。

水

象形字：

水在河道中流動。

# 山坡羊

◎陳草庵

晨雞初叫，　昏鴉爭噪，
哪個不去紅塵鬧？
路遙遙，　水迢迢，
功名盡在長安道，
今日少年明日老。
山，　依舊好；
人，　憔悴了。

山

象形字：
群山並列的形狀。

## 天淨沙

◎馬致遠

枯藤老樹昏鴉，

小橋流水人家，

古道西風瘦馬，

夕陽西下，

斷腸人在天涯。

馬

象形字；

馬的鬃毛與形態。

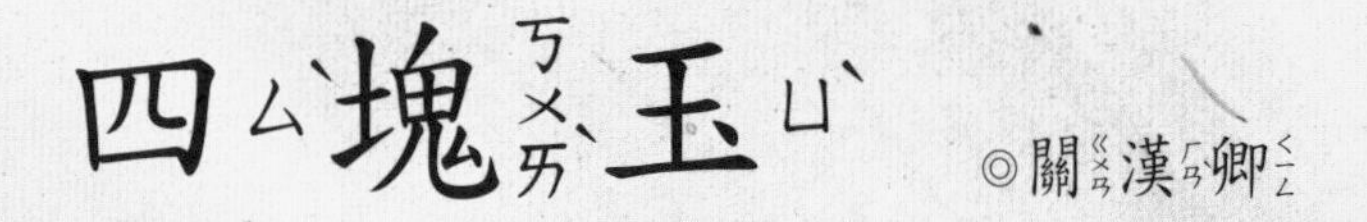

# 四塊玉

◎關漢卿

自送別，　心難捨。

一點相思幾時絕？

憑闌袖拂楊花雪。

溪又斜，　山又遮，

人去也！

人

象形字：遠方的人形，
側面的形象。

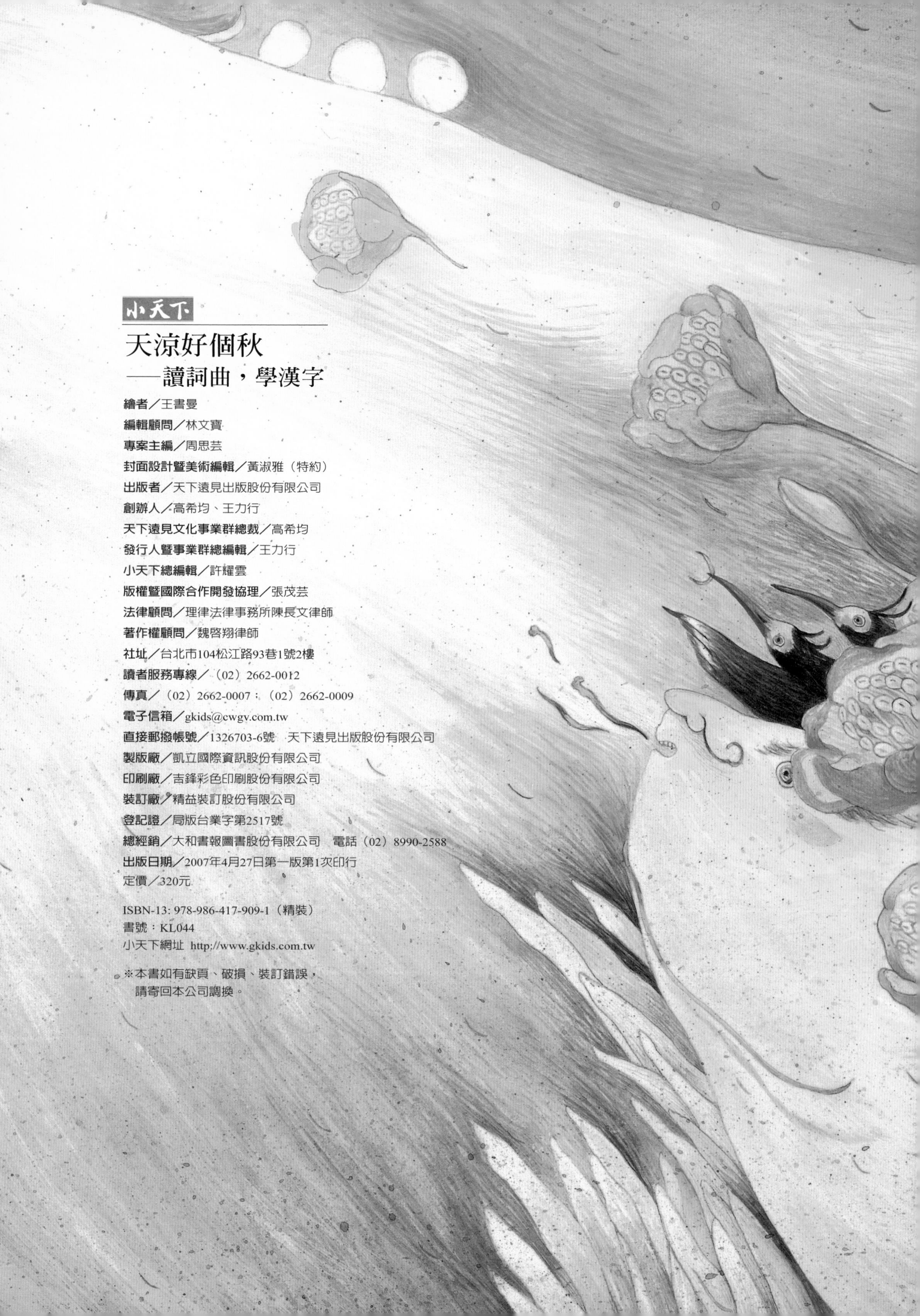

小天下

# 天涼好個秋
## ——讀詞曲，學漢字

繪者／王書曼
編輯顧問／林文寶
專案主編／周思芸
封面設計暨美術編輯／黃淑雅（特約）
出版者／天下遠見出版股份有限公司
創辦人／高希均、王力行
天下遠見文化事業群總裁／高希均
發行人暨事業群總編輯／王力行
小天下總編輯／許耀雲
版權暨國際合作開發協理／張茂芸
法律顧問／理律法律事務所陳長文律師
著作權顧問／魏啓翔律師
社址／台北市104松江路93巷1號2樓
讀者服務專線／（02）2662-0012
傳真／（02）2662-0007；（02）2662-0009
電子信箱／gkids@cwgv.com.tw
直接郵撥帳號／1326703-6號　天下遠見出版股份有限公司
製版廠／凱立國際資訊股份有限公司
印刷廠／吉鋒彩色印刷股份有限公司
裝訂廠／精益裝訂股份有限公司
登記證／局版台業字第2517號
總經銷／大和書報圖書股份有限公司　電話（02）8990-2588
出版日期／2007年4月27日第一版第1次印行
定價／320元

ISBN-13: 978-986-417-909-1（精裝）
書號：KL044
小天下網址 http://www.gkids.com.tw